Collection folio cadet

Pour OPHÉLIA et LUCY

ISBN-2-07-031040-X

Numéro d'édition : 32166.
Dépôt légal : octobre 1983.
Imprimé en Italie.

ROALD DAHL

Le doigt magique

Illustré par
HENRI GALERON

Gallimard

Monsieur et Madame Cassard habitent la ferme à côté de la nôtre. Les Cassard ont deux enfants, deux garçons. Ils s'appellent Bernard et Richard. Quelquefois, je vais chez eux pour jouer.

Je suis une fille et j'ai huit ans.

Bernard aussi a huit ans.

Richard a trois ans de plus. Il a dix ans.

Quoi ?

Ah ! non, c'est vrai.

Il a onze ans.

La semaine dernière, il est arrivé quelque chose de très drôle à la famille Cassard. Je vais essayer de vous le raconter de mon mieux.

En ce temps-là, Monsieur Cassard et ses deux garçons aimaient par-dessus tout aller à la chasse. Tous les samedis matin, ils prenaient leurs fusils et partaient dans les bois tirer sur des animaux et des oiseaux.

Même Bernard, qui n'a que huit ans, avait un fusil à lui.

Je déteste la chasse. Ah ! qu'est-ce que je la déteste ! Pour moi, c'est injuste que des hommes et des garçons tuent des animaux rien que pour s'amuser. J'essayais donc d'empêcher Bernard et Richard de chasser. Chaque fois que j'allais à la ferme, je faisais de mon mieux pour les convaincre, mais ils se moquaient simplement de moi.

Une fois, j'en parlai même un peu à Monsieur Cassard, mais il passa près de moi comme si je n'existais pas.

Puis un samedi matin, je vis Bernard et Richard sortir des bois avec leur père. Ils ramenaient un adorable petit daim.

Cela me rendit tellement furieuse que je me mis à leur crier après.

Les garçons rirent et me firent des grimaces. Monsieur Cassard me dit de rentrer chez moi et de me mêler de mes affaires.

Ça, ce fut le bouquet !

Je vis rouge.

Et sans réfléchir, je fis quelque chose que j'avais décidé de ne plus jamais faire.

JE POINTAIS LE DOIGT MAGIQUE SUR EUX !

Oh ! là là ! Même Madame Cassard, qui n'était pas là, fut ensorcelée. J'avais pointé le Doigt Magique sur toute la famille Cassard.

Pendant des mois, je m'étais dit que je n'utiliserais plus le Doigt Magique sur quelqu'un, après ce qui était arrivé à mon professeur, la vieille Madame Rivière.

Un jour, nous étions en classe et elle nous apprenait l'orthographe.

« Lève-toi, me dit-elle, et épèle le mot chat.

— C'est facile, dis-je. C-H-A.

— Tu es une stupide petite fille ! dit Madame Rivière.

— Je ne suis pas une stupide petite fille ! m'écriai-je. Je suis une très mignonne petite fille !

— Au coin ! » dit Madame Rivière.

Alors, je me mis en colère, je vis rouge et presque aussitôt, je pointai énergiquement le Doigt Magique sur Madame Rivière.

Vous devinez la suite ?

Des moustaches se mirent à pousser sur son visage. C'était de longues moustaches noires, exactement comme celles d'un chat, mais beaucoup plus grandes. Et qu'est-ce qu'elles poussaient vite ! En un clin d'œil, elle lui arrivèrent jusqu'aux oreilles !

Évidemment, comme toute la classe se mit à hurler de rire, Madame Rivière demanda :

« Vous voulez bien me dire ce que vous trouvez de si amusant ? »

Et lorsqu'elle se retourna pour écrire

quelque chose au tableau, nous vîmes qu'une *queue* lui avait également poussé ! Une énorme queue touffue !

Je ne vais pas commencer à vous raconter la suite, mais si l'un de vous me demande si Madame Rivière est redevenue normale, la réponse est NON. Elle ne le sera jamais plus.

Depuis toujours, je sais me servir du Doigt Magique.

Je ne peux pas vous dire comment j'y arrive, parce que je ne le sais pas moi-même.

Mais cela arrive toujours quand je me mets en colère et que je vois rouge...

Alors, je me mets à bouillir, à bouillir...

Puis le bout de l'index de ma main droite commence à me picoter furieusement...

Et soudain, une sorte d'éclair jaillit en moi, un éclair rapide, quelque chose d'électrique.

Il jaillit et touche la personne qui m'a fait enrager.

Et après cela, le Doigt Magique est sur lui ou sur elle, et il se passe des trucs.

Et bien ! le Doigt Magique était à présent sur la famille Cassard tout entière et il n'y avait pas moyen d'y échapper.

Je courus chez moi et j'attendis que les trucs commencent.

Ils arrivèrent vite.

Ces trucs, je vais vous les raconter. Bernard et Richard m'ont tout dit, le lendemain matin, quand cela s'est terminé.

L'après-midi du jour où j'avais pointé le Doigt Magique sur la famille

Cassard, Monsieur Cassard, Bernard et Richard repartirent à la chasse. Cette fois-ci, ils poursuivirent des canards sauvages, aussi ils prirent le chemin du lac.

La première heure, ils tuèrent dix oiseaux.

L'heure suivante, six de plus.

« Quelle journée ! s'écria Monsieur Cassard. La meilleure de ma vie de chasseur ! »

Il était fou de joie.

A ce moment-là, quatre autres canards sauvages volèrent au-dessus d'eux. Ils volaient très bas. C'était facile de les atteindre.

PAN ! PAN ! PAN ! PAN ! firent les fusils.

Les canards continuèrent à voler.

« Raté ! dit Monsieur Cassard. Ça, c'est drôle ! »

Alors, à la surprise de tous, les quatre canards firent demi-tour et volèrent droit sur les fusils.

« Hé ! dit Monsieur Cassard. Qu'est-ce qu'ils fabriquent ? Cette fois, vraiment, ils le cherchent ! »

Il leur tira encore dessus. Les garçons aussi. Et à nouveau, raté !

La figure de Monsieur Cassard devint cramoisie.

« C'est la lumière, dit-il, la nuit tombe, on ne voit pas bien. Rentrons à la maison. »

Et ils rebroussèrent chemin, en emportant les seize oiseaux qu'ils avaient tués avant.

Mais les quatre canards ne semblaient pas vouloir les laisser tranquilles. Ils commencèrent à voler en cercles autour des chasseurs qui s'éloignaient.

Monsieur Cassard n'apprécia pas du tout.

« Partez ! » cria-t-il.

Et il tira sur eux plusieurs fois... sans résultat. Impossible de les toucher. Sur le chemin du retour, les quatre canards tournèrent dans le ciel, au-dessus d'eux, et rien ne put les chasser.

Tard dans la nuit, après que Bernard et Richard furent allés au lit, Monsieur Cassard sortit chercher du bois pour le feu.

Il traversait la cour quand, soudain, il entendit le cri d'un canard sauvage dans le ciel.

Il s'arrêta et leva les yeux. La nuit était très calme. Il y avait une mince lune jaune par-dessus les arbres, sur la colline, et le ciel était rempli d'étoiles. Monsieur Cassard entendit alors un bruit d'ailes, très bas, au-dessus de sa tête, et il aperçut les quatre canards, noirs dans le ciel noir. Ils tournoyaient en vol serré autour de la maison.

Monsieur Cassard oublia le bois et retourna précipitamment à l'intérieur de la maison. A présent, il était complètement terrifié. Ce qui se passait ne lui plaisait pas du tout. Mais il n'en parla pas à Madame Cassard.

Il lui dit seulement :

« Viens, allons au lit. Je suis fatigué. »

Et ils allèrent se coucher.

Au matin, Monsieur Cassard s'éveilla le premier.

Il était sur le point de tendre la main vers sa montre pour regarder l'heure, mais sa main ne semblait pas vouloir se tendre.

« Voilà qui est drôle, dit-il. Où est ma main ? »

Il restait immobile, se demandant ce qui se passait.

Se serait-il blessé cette main ?

Il essaya avec son autre main.

Elle non plus ne voulait pas se tendre.

Il se redressa.

Puis, pour la première fois, il vit à quoi il ressemblait.

Il poussa un cri et bondit hors du lit.

Madame Cassard s'éveilla. Lorsqu'elle aperçut Monsieur Cassard qui se tenait debout, sur le sol, elle poussa un cri, elle aussi.

Car maintenant, c'était un tout petit homme !

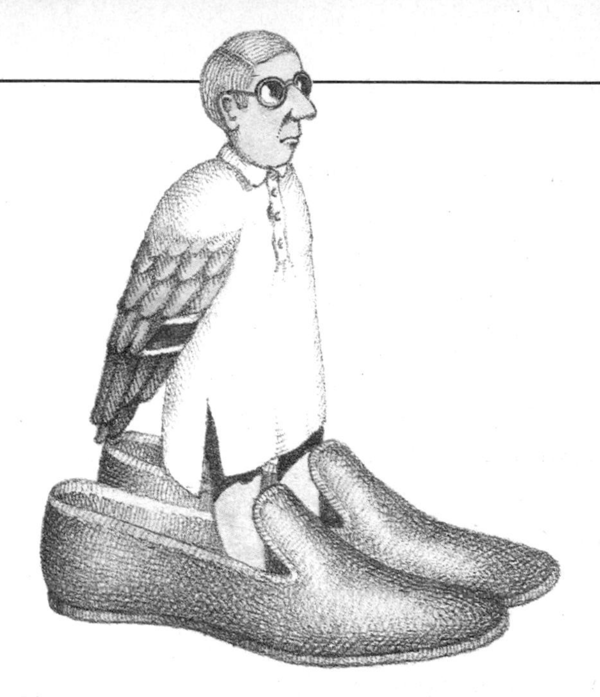

Il arrivait peut-être à la hauteur d'un siège de chaise, guère plus haut !

Et, à la place des bras, il avait deux ailes de canard !

« Mais... mais... mais..., s'exclama Madame Cassard dont la figure devint cramoisie. Que t'arrive-t-il, mon ami ?

— Tu veux dire qu'est-ce qui nous arrive à tous les deux ? » hurla Monsieur Cassard.

A son tour, Madame Cassard bondit hors du lit.

Elle courut se regarder dans la glace. Mais elle n'était pas assez grande pour se voir. Elle était encore plus petite que Monsieur Cassard et elle avait également des ailes à la place des bras.

« Oooh ! Oooh ! sanglota Madame Cassard.

— C'est de la sorcellerie ! » s'écria Monsieur Cassard.

Tous deux se mirent à courir autour de la pièce en battant des ailes.

Une minute plus tard, Bernard et Richard entrèrent en coup de vent. La même chose leur était arrivée. Ils avaient des ailes, et pas de bras. Ils étaient vraiment minuscules, à peu près comme des rouges-gorges.

« Maman ! Maman ! Maman ! pépia Bernard. Regarde, Maman ! Nous volons ! »

Et ils s'élevèrent en l'air.

« Redescendez tout de suite ! dit Madame Cassard. Vous êtes beaucoup trop haut ! »

Mais avant qu'elle ait pu dire autre chose, Bernard et Richard s'étaient envolés par la fenêtre.

Monsieur et Madame Cassard coururent vers la fenêtre et regardèrent au-dehors. Les deux minuscules garçons étaient maintenant tout là-haut dans le ciel.

Madame Cassard dit alors à son mari :

« Crois-tu que nous puissions en faire autant, mon chéri ?

— Pourquoi pas ? dit Monsieur Cassard. Viens, essayons. »

Monsieur Cassard se mit à battre énergiquement des ailes et, aussitôt, il s'envola.

Puis Madame Cassard fit de même.

« Au secours ! s'écria-t-elle tandis qu'elle s'élevait. A l'aide !

— Viens, dit Monsieur Cassard. N'aie pas peur. »

Et c'est ainsi qu'ils s'envolèrent par la fenêtre, montèrent tout là-haut dans le ciel et rattrapèrent vite Bernard et Richard.

Bientôt, tout la famille réunie volait en décrivant des cercles.

« Oh ! c'est formidable ! cria Richard. J'ai toujours rêvé de savoir comment ça fait, d'être un oiseau !

— Tu n'as pas les ailes fatiguées, ma chérie ? demanda Monsieur Cassard à sa femme.

— Pas du tout, répondit Madame Cassard. Je pourrais continuer à voler toute ma vie !

— Hé ! Regardez en bas ! dit Bernard. Il y a quelqu'un dans notre jardin ! »

Tous regardèrent en bas. En dessous

d'eux, dans leur propre jardin, ils aperçurent quatre *énormes canards sauvages !* Ces canards étaient aussi grands que des hommes et comme des hommes, en plus, ils avaient de très grands bras à la place des ailes.

Les canards marchaient à la queue leu leu vers la porte de la maison des Cassard, en balançant les bras et en dressant les becs.

« Arrêtez ! cria le minuscule Monsieur Cassard, en piquant au-dessus de leurs têtes. Filez ! c'est ma maison ! »

Les canards levèrent les yeux en faisant couin-couin. Le premier étendit le bras, ouvrit la porte de la maison et entra. Les autres le suivirent. La porte se ferma.

Les Cassard redescendirent et s'assirent sur le mur, près de la porte. Madame Cassard se mit à pleurer.

« Oh ! mon Dieu, mon Dieu ! sanglotait-elle. Ils ont pris notre maison. Qu'allons-nous faire ? Nous n'avons plus d'endroit où aller ! »

Les garçons eux-mêmes se mirent à verser quelques larmes.

« Les chats et les renards vont venir nous manger pendant la nuit ! dit Bernard.

— Je veux dormir dans mon lit ! dit Richard.

— Allons, allons, dit Monsieur Cassard. Ça ne sert à rien de pleurer. Ce n'est pas ça qui nous aidera. Vous voulez que je vous dise ce que nous allons faire ?

— Quoi ? »

Monsieur Cassard les regarda et sourit.

« Nous allons bâtir un nid.

— Un nid ! dirent-ils. Est-ce que nous y arriverons ?

— Nous devons bien, dit Monsieur Cassard. Il nous faut un endroit où coucher. Suivez-moi. »

Ils volèrent jusqu'à un grand arbre et Monsieur Cassard choisit de bâtir le nid au sommet.

« Maintenant, il nous faut du bois, dit-il. Plein, plein de petit bois. Partez en chercher et ramenez-le ici.

— Mais nous n'avons pas de mains ! dit Bernard.

— Alors, servez-vous de vos bouches ! »

Madame Cassard et les enfants s'envolèrent. Bientôt, ils étaient de retour avec des brindilles à la bouche.

Monsieur Cassard les prit et se mit à bâtir le nid.

« Il en faut d'autres, dit-il. Plein, plein d'autres. Repartez en chercher. »

Le nid commença à grandir. Monsieur Cassard arrivait très bien à assembler les brindilles.

Au bout d'un moment, il dit :

« Il y a assez de petit bois. Maintenant, je veux des feuilles, des plumes et des trucs comme ça pour que l'intérieur soit bien douillet. »

Ils continuèrent à bâtir le nid. Cela prit longtemps. Mais à la fin, le nid était terminé.

« Essayez-le », dit Monsieur Cassard en se reculant d'un bond.

Il était ravi de son travail.

« Oh ! c'est charmant ! s'écria Madame Cassard en entrant et en s'asseyant. J'ai l'impression que je pourrais pondre un œuf d'un moment à l'autre ! »

Les autres la rejoignirent.

« Comme c'est chaud ! dit Richard.

— Qu'est-ce que c'est amusant de vivre si haut ! dit Bernard. Nous sommes petits, mais ici, personne ne peut nous faire de mal.

— Et la nourriture ? demanda Madame Cassard. Nous n'avons rien mangé de toute la journée.

— C'est vrai, dit Monsieur Cassard. Volons jusqu'à la maison, entrons par une fenêtre ouverte, et quand les canards ne regarderont pas, prenons la boîte à biscuits.

— Oh, mais ces vilains gros canards vont nous attaquer à coups de bec ! Ils vont nous réduire en miettes ! s'exclama Madame Cassard.

— Nous ferons très attention, mon amie », dit Monsieur Cassard.

Et ils partirent.

Mais lorsqu'ils atteignirent la maison, ils trouvèrent toutes les fenêtres et toutes les portes fermées. Pas moyen d'entrer.

« Regardez-moi cette horrible cane qui fait la cuisine sur mes fourneaux ! s'écria Madame Cassard en volant devant la fenêtre de la cuisine. Quel toupet !

— Et regardez celui-ci avec mon beau fusil ! hurla Monsieur Cassard.

— Il y en a un couché dans mon lit ! brailla Richard en regardant par la fenêtre du haut.

— Et il y en a un autre qui est en train de jouer avec mon train électrique ! cria Bernard.

— Oh ! mon Dieu, mon Dieu ! dit Madame Cassard. Ils ont pris toute la maison ! Nous ne pourrons plus jamais y revenir. Et qu'allons-nous manger ?

— Pas question de manger des vers, dit Bernard. Plutôt mourir.

— Ni des limaces », dit Richard.

Madame Cassard prit les deux garçons sous ses ailes et les serra contre elle.

« Ne vous inquiétez pas, dit-elle. Je

vous les mâcherai si menu que vous ne les sentirez même pas. De délicieuses bouillies de limaces. De délicieuses purées de vers.

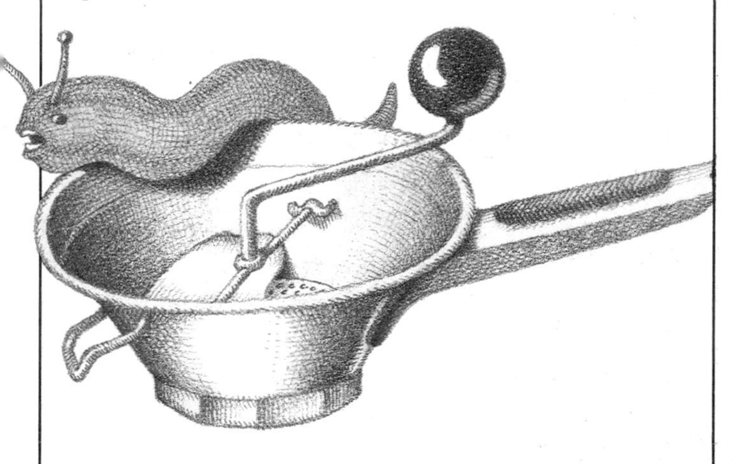

— Oh ! non ! s'écria Richard.

— Jamais ! dit Bernard.

— Répugnant ! dit Monsieur Cassard. Ce n'est pas parce que nous avons des ailes que nous devons manger comme des oiseaux. Mangeons plutôt des pommes. Il y en a plein sur nos arbres. Venez ! »

Et ils volèrent jusqu'à un pommier.

Ce n'est guère facile de manger une pomme quand on n'a pas de mains.

Chaque fois qu'on essaie d'y planter les dents, elle recule. A la fin, ils arrivèrent à prendre quelques petites bouchées. Et puis, la nuit tomba et ils retournèrent se coucher dans leur nid.

Ce fut à peu près à ce moment-là que, de chez moi, je pris le téléphone pour essayer d'appeler Bernard. Je voulais voir si la famille allait bien.

« Allô, dis-je.

— Couin-couin ! dit une voix au bout du fil.

— Qui est à l'appareil ? demandai-je.

— Couin-couin !

— Bernard, dis-je, c'est toi ?

— Couin-couin-couin-couin-couin !

— Oh ! ça suffit ! » dis-je.

Alors, j'entendis un drôle de bruit, comme un oiseau en train de rire.

Je raccrochai aussitôt.

« Oh ! ce Doigt Magique ! m'écriai-je. Qu'a-t-il fait à mes amis ? »

Cette nuit-là, tandis que Monsieur et Madame Cassard essayaient de dormir dans leur nid haut perché, un grand vent se mit à souffler. L'arbre se balançait et tout le monde, même Monsieur Cas-

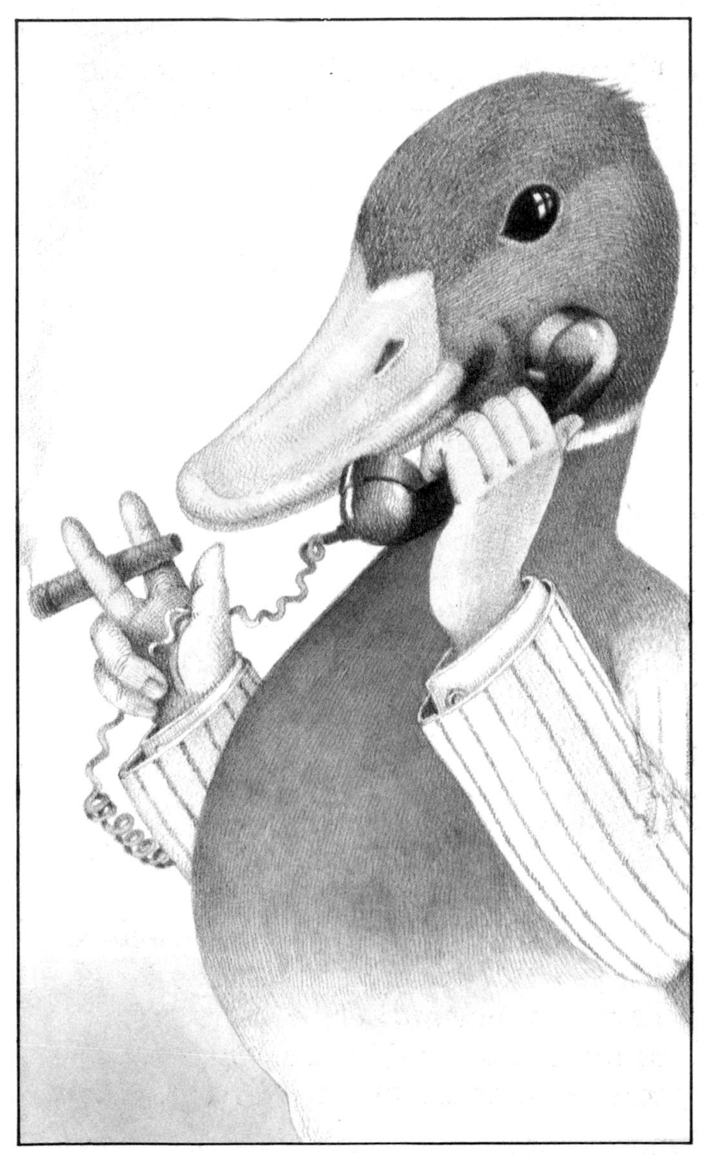

sard, eut peur que le nid ne tombe. Puis il commença à pleuvoir. Il plut, il plut longtemps. L'eau inonda le nid, et tous furent trempés comme des soupes. Oh ! quelle nuit ! Quelle mauvaise nuit !

Enfin, arriva le matin chaud et ensoleillé.

« Eh bien, dit Madame Cassard, Dieu merci, c'est fini ! Je ne coucherai plus jamais dans un nid ! »

Elle se leva et regarda en bas.

« Au secours ! cria-t-elle. Regardez ! Regardez là !

— Qu'y a t-il, mon amie ? » dit Monsieur Cassard.

Il se leva et jeta un coup d'œil.

La plus grande surprise de sa vie l'attendait !

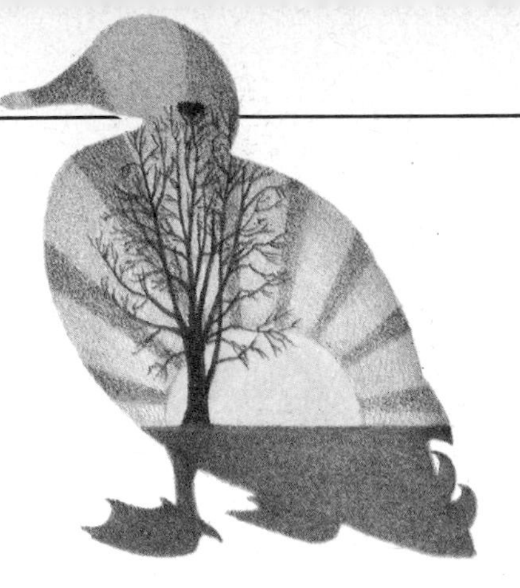

A terre, au-dessous d'eux, il y avait les quatre énormes canards, grands comme des hommes. Trois d'entre eux tenaient des fusils. L'un avait le fusil de Monsieur Cassard, l'autre celui de Bernard et le dernier celui de Richard. Les fusils étaient tous pointés sur le nid.

« Non ! Non ! crièrent ensemble Monsieur et Madame Cassard. Ne tirez pas !

— Et pourquoi ? dit le canard qui n'avait pas de fusil. Vous tirez tout le temps sur nous !

— Oh ! mais ce n'est pas pareil ! dit Monsieur Cassard. Nous avons le droit de tirer sur les canards !

— Qui vous donne ce droit ? demanda le canard.

— Nous nous le donnons nous-mêmes, dit Monsieur Cassard.

— Charmant, dit le canard. Et maintenant, *nous* nous donnons nous-mêmes le droit de vous tirer dessus. »

(J'aurais adoré voir la tête que faisait Monsieur Cassard !)

« Oh, je vous en prie ! cria Monsieur Cassard. Nos deux petits garçons sont avec nous ! Vous n'allez pas tirer sur des enfants !

— Hier, vous avez tiré sur mes enfants, dit le canard. Vous avez tué six de mes enfants.

— Je ne le ferai jamais plus ! cria Monsieur Cassard. Jamais, jamais plus !

— Vous êtes vraiment sincère ? demanda le canard.

— Bien sûr que je suis sincère ! répondit Monsieur Cassard. Je ne tuerai plus de canard de ma vie !

— Ce n'est pas suffisant, dit le canard. Et pour les daims ?

— Je ferai tout ce que vous me direz si vous abaissez vos canons ! cria Monsieur Cassard. Je ne tirerai plus sur des canards, sur des daims ni sur rien d'autre !

— Vous me donnez votre parole ? dit le canard.

— Oui ! Oui ! dit Monsieur Cassard.

— Vous jetterez vos fusils ? demanda le canard.

— Je les réduirai en miettes ! dit Monsieur Cassard. Vous n'aurez jamais plus rien à craindre de moi ni de ma famille.

— Très bien, dit le canard. Vous pouvez descendre. Et par la même occasion, félicitations pour le nid. Ce n'est pas mal pour un coup d'essai. »

Monsieur et Madame Cassard, Bernard et Richard sautèrent du nid et redescendirent en voletant.

Alors, soudain, le noir complet. Ils ne virent plus rien. Une drôle d'impression les envahit et ils entendirent un grand vent leur souffler aux oreilles. Puis le noir qui les entourait vira au bleu, au vert, au rouge, puis au doré, et tout à coup, ils se retrouvèrent dans leur jardin près de leur maison sous un beau soleil éclatant. Tout était redevenu normal.

« Nos ailes ont disparu ! s'écria Monsieur Cassard. Et nous avons retrouvé nos bras !

— Et nous ne sommes plus minuscules ! dit Madame Cassard. Oh, comme je suis contente ! »

Bernard et Richard se mirent à gambader de joie.

Puis, au-dessus de leurs têtes, ils entendirent le cri d'un canard sauvage. Tous levèrent les yeux et virent les quatre magnifiques oiseaux se détacher sur le ciel bleu. Ils retournaient en vol serré vers le lac au milieu des bois.

Environ une demi-heure plus tard, j'entrai dans le jardin des Cassard. J'étais venue voir comment les choses se déroulaient et je dois reconnaître que je

m'attendais à pire. Devant la porte, je m'arrêtai et regardai dans la cour. Quel étrange spectacle !

Dans un coin, Monsieur Cassard était en train de réduire en miettes les trois fusils avec un énorme marteau.

Dans un autre coin, Madame Cassard posait de jolies fleurs sur seize petits monticules de terre. C'était, je l'appris plus tard, les tombes des canards tués la veille.

Au milieu, il y avait Bernard et Richard, et à côté d'eux, un sac d'orge, la meilleure qu'avait leur père.

Ils étaient entourés de canards, de colombes, de pigeons, de moineaux, de rouges-gorges, d'alouettes et de toutes sortes d'oiseaux que je ne connaissais pas. Les oiseaux picoraient l'orge que les garçons éparpillaient par poignées.

« Bonjour, Monsieur Cassard », dis-je.

Monsieur Cassard abaissa son marteau et me regarda.

« Je ne m'appelle plus Cassard, dit-il. En l'honneur de mes amis à plumes, j'ai changé Cassard en Canard.

— Et je suis Madame Canard, dit Madame Cassard.

— Que s'est-il passé ? » demandai-je. Ils semblaient être devenus complètement zinzins, tous les quatre.

Alors, Bernard et Richard commencèrent à me raconter toute l'histoire. Richard dit :

« Regarde ! Voici le nid ! Tu arrives à le voir ? Tout là-haut, au sommet de l'arbre ! C'est là qu'on a couché hier soir !

— Je l'ai bâti entièrement moi-même, dit fièrement Monsieur Canard. Brindille par brindille.

— Si tu ne nous crois pas, dit Madame Canard, entre dans la maison

et jette un coup d'œil dans la salle de bains. C'est la pagaille.

— Ils ont rempli la baignoire à ras bord, dit Bernard. Ils ont dû nager toute la nuit ! Et il y a des plumes partout !

— Les canards aiment l'eau, dit Monsieur Canard. Je suis content qu'ils se soient bien amusés. »

A ce moment-là, quelque part près du lac, on entendit un formidable PAN !

« Un coup de fusil ! m'écriai-je.

— Ça doit être Gaston Biros, dit Monsieur Canard. Lui et ses trois garçons. Ils sont féroces, ces Biros ! »

Soudain, je vis rouge.

Puis, je commençai à bouillir.

Ensuite, le bout de mon doigt se mit à me picoter furieusement. La force magique m'avait à nouveau envahie.

Je me retournai et courus à toute vitesse vers le lac.

« Hé ! hurla Monsieur Canard. Qu'y a-t-il ? Où vas-tu ?

— Voir les Biros, répondis-je.

— Mais pourquoi ?

— Vous allez voir ! dis-je. Cette nuit, il y en a qui vont dormir dans un nid ! »

« Les enfants s'ennuient vite, moi aussi. » Inutile de dire qu'aucun des nombreux textes de **Roald Dahl** ne renie cet excellent principe : *Fantastique Maître Renard, Charlie et la Chocolaterie, La Potion magique de Georges Bouillon, Les Deux Gredins...* Roald Dahl est né au Pays de Galles en 1916 et *Le Doigt magique* est le premier texte qu'il ait écrit. Pilote de la Royal Air Force pendant la dernière guerre, diplomate par la suite, Roald Dahl est aujourd'hui écrivain à part entière. Il vit en Angleterre avec sa femme et ses quatre enfants.

Henri Galeron aime beaucoup la pêche à la ligne, les chats, les jouets mécaniques, et le dessin. Né dans un village provençal, il étudie les Beaux-Arts à Marseille. Son premier livre pour enfants est paru en 1973. Depuis, il n'a cessé de créer des images pour enfants : des illustrations de textes bien sûr, mais aussi des pochettes de disques et des dessins pour la presse des jeunes. *Voyage au pays des arbres,* de Le Clézio, *La Pêche à la baleine,* de Prévert, *Le Pont* de Kafka et *Lettre d'anniversaire,* de Lewis Carroll, pour ne citer que les Enfantimages, puisque c'est dans cette collection que parut *Le Doigt magique* en 1979.